Taghadh de Sgeulachdan
TOMAS AN T-EINNSEAN TANCA

A' Ghàidhlig le

Catriona Dunn

Telebhisean na h-Alba Earr

acair

Clàr-innse

Trioblaid do Thòmas

Tha loidhne suas gu cuaraidh aig deireadh loidhne Thòmais. Airson pìos math tha i ri taobh an rathaid. Bidh Tòmas an còmhnaidh a' feadalaich an seo gun fhios nach bi duine a' tighinn. Tràth aon mhadainn bha cloidsear de phoileasman na shuidhe ri taobh na loidhne. Bha Tòmas measail air poileasmain.

Bha Tòmas agus am poileasman a b' àbhaist a bhith ann glè mhòr aig a chèile.

Leig e fead thoilichte ris a' phoileasman, airson an là a bheannachadh dha.

Bha làn-dhùil aig Tòmas gum biodh am poileasman càirdeil mar a bha am fear eile, ach cha do chòrd coltas an fhir seo ris idir. Bha e gruamach greannach a' coimhead, le aghaidh cho dearg ri tomàto.

"'S e 'n t-àit' tha seo," ars esan. "Cha d'fhuair mi norradh a-raoir leis cho sàmhach 's a tha e, 's tha thus' a-nis a' toirt orm leum às mo chraiceann leis an fheadalaich bhìogach sin."

"An aire ort," arsa Tòmas. "Chan eil droch nàdar mar sin math do dhuine."

"'S chan e sin a-mhàin," ars am poileas. "Càit a bheil an clàr cruidh agad?" "Dè a dhèanainn-sa le crodh?" arsa Tòmas. "Chan eil annad ach meaban mì-mhodhail, gun ionnsachadh," ars am poileasman. Thug e sùil air cuibhlichean Thòmais. "Chan eil mi a' faicinn clàran cliathaich nas motha,"ars esan, agus chuir e a h-uile càil dhan leabhar le sgrìobhadh gròbach. "Ma tha einnseanan dhe do sheòrsa a' dol air na rathaidean, feumaidh na cuibhlichean aca bhith air falach, agus feumaidh

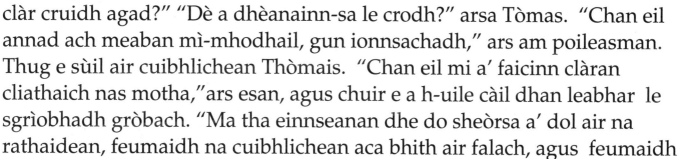

clàr cruidh a bhith orra, gus nach tèid daoine no beathaichean a dhraghadh a-steach fo na cuibhlichean, ma thèid iad air an loidhne. Tha thusa falbh an sin as an aonais. Chan eil annad ach cunnart."

"Thalla 's tarraing," ars an dràibhear. "Tha thu glan às do rian. Tha sinn air bhith suas is sìos an seo ceud mìle turas gun dragh sam bith."

"'S tha sin ga dhèanamh ceud mìle triop nas miosa." Sgrìobh e: "Briseadh an lagh gu tric." 'S ann gu math brònach a bha puthadaich Thòmais a-null an loidhne.

7

Bha an Riaghladair Reamhar a' gabhail a lit. Truinnsear mòr math dheth mar a bhiodh aige a h-uile madainn.

Nochd an gille-taighe.

"Gabhaibh mo leisgeul ach tha fòn ann dhuibh."

"Mì-shealbh air a' fòn sin. An còmhnaidh gam thoirt bho mo bhiadh."

Dh'èisd e ris a' chabadaich a bh' air ceann eile a' fòn, 's e a' crathadh a chinn. "An còmhnaidh rudeigin," ars esan ri bhean. "Tha ùmaidh de phoileasman a' gearan air Tòmas. Tha cho math dhomh a dhol a dh'fhaicinn dè tha ceàrr."

Nuair a ràinig e an stèisean dh'innis dràibhear Thòmais dha mar a bha.

"Na chunnart dhan a h-uile duine! Cha chuala mi riamh a dhà leithid," ars an Riaghladair Reamhar. Dh'fheuch e an uair sin ri reusanachadh ris a' phoileasman. Ach ged a dhearbhadh e air gu peirceall Z, bha am poileasman cho rag 's a ghabhadh.

"'S e an lagh a th' ann," ars esan, "'s feumaidh sinn gabhail ris."

"Cho fada na cheann 's a bha Fionn sna casan," ars esan fo anail. "'S ann oirnn a thàinig an dà latha. Bhiodh e cho math a bhith bruidhinn ri Clachan Chalanais. Chan eil càil air a shon ach na clàran cruidh ud fhaighinn do Thòmas."

"Ach bidh iad a' fanaid orm," arsa Tòmas. "Bidh iad ag ràdh gu bheil mi coltach ri trama."

Sheall an Riaghladair Reamhar greis, 's rinn e gàire. "Sin thu fhèin, a bhalaich. Tha fhios a'm dè nì mi a-nis. Gheibh sinn einnsean trama! Chunna mi an dearbh fhear air mo shaor-làithean. Einnsean beag donn, le clàran cruidh agus clàran cliathaich air. Chan eil an loidhne aige glè thrang idir. Chòrdadh an t-àite seo ris. Sgrìobhaidh mi a dh'fhaighneachd am faod sinn a cheannach."

Dhà no trì làithean an dèidh sin bha Tòbaidh còmhla riutha.

"'S mis' tha toilichte d' fhaicinn," ars an Riaghladair Reamhar. "'S math gun tug thu Henrietta leat cuideachd."

"Chan eil sin gu diofar, a bheil?" dh'fhaighnich Tòbaidh. "Bha dùil aca seada chearc a dhèanamh dhith, ach bhiodh a' ghàgail air a cur às a rian."

"Och, uill, nì sinne cinnteach nach fhaigh cearc no eireag faisg a mhìle dhi."

Abair gun robh Tòbaidh gleusda le na trucaichean. Ach aon là, bhuail Tòbaidh a chlag gu h-obann agus theab am poileasman stiùirceach leam às a chraiceann. Chòrd seo ri Tòmas agus tha e fhèin agus Tòbaidh gu mòr aig a chèile a-nis.

Teich às mo rathad

Nuair a fhuair Tòmas meur-loidhne dha fhèin, cha robh air fhàgail a dhèanadh seotadh dha na h-einnseanan mòra ach Eideard. Dhiùlt na h-einnseanan mòra seotadh, ag ràdh nach bu chòir iarraidh air einnsean taicear obair cho suarach a dhèanamh.

Chaidh an Riaghladair Reamhar fiadhaich, agus chùm e anns an t-seada iad. Bha Eanraig, Seumas agus Gòrdan a-nis gu math duilich air an son fhèin. Bha iad air a bhith glaist' a-staigh airson làithean. Bha fadachd bàis orra gu faigheadh iad a-mach. Nochd an Riaghladair Reamhar mu dheireadh thall.

"Tha mi 'n dòchas gu bheil sibh a' gabhail an aithreachais a-nis. Sheall mise dhuibh gun dèan mi a' chùis glè mhath as ur n-aonais.

"Fhuair sinn einnsean tanca ùr air a bheil Pearsaidh. Tha e a' cuideachadh le na coidsichean agus tha an loidhne mhòr air a bhith a' dol gu dòigheil le Tòmas agus Eideard."

"Ach tha cho math ur leigeil a-mach a-nis mus meirg na cuibhlichean agaibh."
"Cha bhi sinn ceannairceach a chaoidh tuilleadh ma leigeas sibh a-mach à seo sinn." "'S e ur cuid e. Ma chluinneas mise aon bìog eile bho dhuin' agaibh mu dheidhinn seotadh ..."

Thuirt e ri Pearsaidh, Eideard agus Tòmas gum faodadh iad a dhol gan cluiche fhèin air a' mheur-loidhne airson dhà na trì làithean. Chan iarradh iad sin am bainne leis. Bha iad air an dòigh. Bha Annag agus Clàra Beileag cho sona ri bròg nuair a fhuair iad Tòmas aca fhèin air ais. Chuir Eideard agus Pearsaidh an tìde seachad a' putadh 's a' seotadh thrucaichean.

"Haoi! Stad! Umaidh gun truas!" bha na trucaichean a' sgreadail, fhad 's a bha an dithis gan cur far am bu chòir dhaibh a bhith. Ach chùm an dithis orra, a' lachanaich 's a' seotadh gus an robh na trucaichean rèidh rianail.

Dh'fhalbh Eideard le trucaichean chun na cuaraidh.

Bha Pearsaidh air fhàgail leis fhèin. Cha robh sin a' cur càil air. Bha e a' cur seachad na tìde le fanaid is mì-mhodh ri na h-einnseanan eile.

"Slaodaire mòr odhar!" dh'èigh e ri Eanraig. Abair gun do ghabh am fear sin cais. An dèidh tuilleadh seotaidh thall 's a-bhos bha Pearsaidh na stad gus an atharraicheadh fear nan soighnichean na puingean, agus dùil aige a dhol air ais dhan ghiàrd. Bha e dualtach a bhith sgeòtalach, agus gun aire bhith air cùisean. Bha Eideard sgìth ag ag iarraidh air a bhith faiceallach air an loidhne mhòr agus fead a leigeil gus am biodh fios aig fear nan soighnichean gun robh e ann.

Ach 's beag a bha a ghuth aig Pearsaidh air feadalaich. 'S cha robh càil a dh'fhios aig fear nan soighnichean gun robh e ann. "Liathaidh mi nam stob an seo," smaoinich e. Ach bha na puingean na aghaidh. Theab stròc a thighinn air nuair a sheall e sìos an loidhne mhòr.

"Peep! Peep!"dh'èigh e, 's e gus a dhol à cochall a chridhe. Bha Gòrdan a' dèanamh dìreach air 's e a' dol aig peilear dearg a bheatha.

Chuir dràibhear Phearsaidh air làn-stioma. "Air ais, a Phearsaidh, air ais!" Ach cha tionndaidheadh na cuibhlichean aige luath gu leòr, agus cha robh càil a choltas stad air Gòrdan.

"Chan fhada gun cluinn sinn brag," smaoinich Pearsaidh. Thug an dràibhear 's an stòcair cruinn-leum a-mach.

"U —— ùùùh," ghearain Gòrdan. "Teich às mo rathad, an ainm an àigh."

Mheatraig Pearsaidh a dhà shùil fhosgladh. Chan fhaigheadh tu gaisinn fuilt eadar bufairean an dithis, ach bha Pearsaidh air tòiseachadh a' gluasad.

"Mach à seo leam, cho luath 's a rinn mi càil a-riamh," smaoinich e.

Chaidh e mar an dealanaich tro stèisean Eideird agus lean e air suas leathad Ghòrdain, gun stad. An dèidh sin bha e sgìth. Ach cha deigheadh aige air stad. Cha robh dràibhear aige a thaisgeadh an stioma 's a chuireadh air na breics.

"Nach bu mhi an dearg amadan. Bufailear gun tùr. Nam b' urrainn dhomh stad. Caithidh mo chuibhlichean." Dh'aithnich fear nan soighnichean gun robh rudeigin fada ceàrr, agus sheat e na puingean dhan truaghan bhochd.

Chùm Pearsaidh air, sgìth 's mar a bha e, a-steach do thaobh-rèile mòr
falamh le tiùrr morghain aig a' cheann. "Wheeesh," ars an fheadag gu
cianail 's e a' stad anns an tiùrr morghain. Cha robh diù a' choin aige càit
an deigheadh e nam faigheadh e air stad.
"Nach bu tusa 'n t-eucorach," ars an luchd-obrach, 's iad ga chladhach
a-mach. "Tha e feumail nach do rinn thu call." Bha crith an cnàmhan
Phearsaidh nuair a chunnaic e Gòrdan a' tighinn, ach 's ann a bha am fear
mòr ann an trioma mhath. "Bha e feumail dhan dithis againn gun do
bhacaig thu cho luath. Cha robh mi cho
taingeil dà uair na mo bheatha."

   "Tha mi uabhasach duilich cho mì-
mhodhail 's a bha mi," arsa Pearsaidh.

   "Bha e mìorbhaileach mar a fhuair thu
air stad."

   Cha tug Gòrdan fada a' tarraing
Phearsaidh a-mach às an tiùrr morghain.
Tha eagal orm gu bheil Pearsaidh fhathast
mì-mhodhail. Ach tha e an còmhnaidh air
leth faiceallach a-nis nuair a bhios e air an
loidhne mhòr.

Tòmas agus na Trèana Cobhair

Bhiodh an Riaghladair Reamhar a' tighinn chun an stèisein a h-uile là a dh'fhaighinn trèana. Bhiodh e an còmhnaidh ag ràdh ri Tòmas, "Cuimhnich, a Thòmais — bi thusa foighidneach. Cha bhi thu a chaoidh cho làidir no cho luath ri Gòrdan, ach 's dòcha gum bi thu nad Einnsean Fìor Fheumail. Cùm sùil gheur air na trucaichean ud."

Bha an t-uabhas thrucaichean ann, agus bha Tòmas na mhàl gam bruthadh 's gan tarraing 's gan cur dhan àite cheart. Bhiodh e a' faicinn coidse bheag le dà rud neònach. Thuirt an dràibhear gur e crèanaichean a bh' annta.

"Sin agads' an trèana cobhair," dh'innis e do Thòmas. "Bidh na crèanaichean a' togail rudan trom mar einnseanan agus coidsichean agus trucaichean."

Aon latha, bha Tòmas anns a' ghiàrd. Theab e leum às a chraiceann nuair a chuala e feadalaich einnsein. "Nach cuidich sibh mi!" Thàinig trèana bathair mar an dealanaich tron stèisean.

Cò bha seo ach Seumas — 's e gus a dhol à cochall a chridhe. Bha blocaichean nam breics aige nan teine.

"Tha na trusdairean ga mo bhruthadh," ghearain e.

"Cùm a' dol," thàinig glocadaich nan trucaichean.

Chaidh Seumas a-mach à sealladh 's e fhathast a' feadalaich airson cuideachaidh.

"Nam faighinn-sa greim air na trucaichean a tha siud," arsa Tòmas ris fhèin.

An uair sin, thàinig fios èiginn.

"Tha Seumas far an rèile — faigh an trèana cobhair — anns a' bhad."

Cheangail iad Tòmas rithe, 's a-mach leotha. Dh'obraich Tòmas mar a dheigheadh aige air.

"Greasaibh, greasaibh, greasaibh," dh'èigh e. Cha b' ann ag atharrais air Gòrdan a bha e an turas seo. Bha èiginn na cùise a' cur cabhaig mhòr air.

"Tuaireapadh air na trucaichean grod gun mhodh tha siud. Bheir mis' orra ma rinn iad cron air Seumas."

Fhuair iad Seumas dìreach aig lùb anns an loidhne.

Bha e na chlod ann am pàirce le bò a bha a' coimhead air le uabhas.

Bha an dràibhear 's an stòcair a' toirt sùil mhath air fheadh, a' dèanamh cinnteach gun robh e ceart gu leòr.

"Na gabh thusa dragh, a Sheumais," ars iadsan. "Cha b' e do choire fhèin a bh' ann. Bha deagh fhios againn nach robh fiach bonn-a-sia a dh'fheum anns na h-ablaichean bhreics fiodha ud."

Bhrùth Tòmas an trèana cobhair ri thaobh. Tharraing e na trucaichean slàn às an rathad.

"'S ann rinn a tha tachairt," ghearain iad.

"'S math an airidh. A ghràisg gun mhodh," fhreagair Tòmas. Bha e na fhallas fad an fheasgair a' puthadaich air ais 's air adhart.

"Cha bhi sibh cho beadaidh tuilleadh, a chnuimhean gun tùr," chanadh esan.

Cha b' urrainn dhaibh ach freagairt, "Cha bhi. Cha bhi."

Dh'fhàg iad na trucaichean briste às an dèidh. An uair sin thog an dà chrèan Seumas air ais air na rèilichean. Dh'fheuch e ri gluasad ach cha dèanadh e càil dheth. Chuidich Tòmas e air ais chun an t-seada.

Bha an Riaghladair Reamhar na thiosaidh a' feitheamh riutha.

"Seadh, a Thòmais," ars esan. "Nach bu tu fhèin an laoch an-diugh. Cha robh mi riamh cho moiteil asad. Bha thu dha-rìribh nad Einnsean Fìor Fheumail an-diugh. Tha thu airidh air meur-loidhne dhut fhèin, agus gheibh Seumas breics cheart agus sgrìobag pheant."

Tha Tòmas cho sona ris an rìgh a' falbh sìos is suas a' mheur-loidhne leis an dà choidse, Annag is Clàra Beileag.

Ged a tha iad a' fàs aosda agus feumach air còta peant, tha Tòmas a' saoilsinn an t-saoghail dhiubh.

Bidh e a' faicinn nan einnseanan eile gu math tric agus bidh iad ag innse dha a h-uile càil a tha dol.

Tha Gòrdan an còmhnaidh na chabhaig ach bidh e a' cuimhneachadh air "Poop, poop," a leigeil ri Tòmas anns an dol seachad, agus bidh Tòmas ga fhreagairt le "Peep, peep."

Bhiodh Gòrdan an còmhnaidh a' tarraing an ecspreas mhòir, agus b' e e fhèin a bha moiteil nach robh einnsean eile ann làidir gu leòr airson na h-obrach. Aon là bha e làn de dhaoine urramach, 's an Riaghladair Reamhar nam measg. Bha Gòrdan a' dèanamh sgeamp, a' faicinn dè cho luath 's a dheigheadh e.

"Greasaibh oirbh, a sheilcheagan," ars esan.

"Feuch an ist thu. Dè do chabhaig?" fhreagair na coidsichean.

Bha e a' tighinn faisg air an tunail far an robh Eanraig na phrìosanach, 's e gus liathadh leis an aonranachas.

"Nach bu mhì an damh," smaoinich Eanraig, "a' dèanamh cùis-mhagaidh dhiom fhìn, a' bleadraich mu dheidhinn uisge 's peant."

"Ach cha leigeadh iad a leas a bhith air an rèile a thogail agus balla a chur an àirde air mo bheulaibh. 'S beag an t-iongnadh ged a chaill an Riaghladair Reamhair a rag nuair nach gluaisinn dhaibh." "Cuiridh mi am fear a bh' ann à cochall a chridhe," smaoinich Gòrdan.

Bha e gu bhith aige nuair a thàinig "WHEE ——— EESHSH!" agus bha Gòrdan Mòr Gorm a' dol na bu shlaodaiche agus a' dol air falach ann an sgòth stioma.

Stad an dràibhear an trèana.

"An e cuairt a thàinig orm?" dh'fhaighnich Gòrdan.

"Chan eil but lùths annam."

"Tha a' bhalbh dìon agad air briseadh," ars an dràibhear.

"Cha dèan thu a' chùis air an trèana a tharraing idir."

"O, mì-shealbh," arsa Gòrdan, "dìreach nuair a bha sinn a' dol cho math, agus seall an craos a th' airsan a' fanaid orm."

Thàinig a h-uile duine ga fhaicinn.

"Humph," ars an Riaghladair Reamhar. "'S math a bha fhios agam nach robh feum anns na h-einnseanan mòra ud. An còmhnaidh a' briseadh. Faighibh fear eile anns a' bhad."

Dh'fhalbh an geàrd. Shaor iad Gòrdan, agus liùg e air falbh gu tùrsach gu taobh-rèile a-mach às an rathad.

Cha robh einnsean air fhàgail ach Eideard.

"An cuidich thu sinn?" ars an geàrd.

"Nì mi mo dhìcheall," ars esan.

"Huh," arsa Gòrdan, "an giotraman beag sin; cha bhruthadh e bara."

Bha Eideard a' puthadaich 's a' putadh, ach bu dìomhain dha — cha charaicheadh na coidsichean mòra cloidseach.

"Nach tuirt mi riut, a chlaiginn put," arsa Gòrdan. "Nach leig sibh le Eanraig feuchainn?"

"Ceart," ars an Riaghladair Reamhar.

"Tha sin cho math dhuinn."

"Dè mu dheidhinn, Eanraig?" dh'fhaighnich e.

"Ma-tha, tha mi 'n dùil," fhreagair Eanraig. "'S math faighinn an cothrom."

Las dràibhear agus stòcair Ghòrdain teine Eanraig. Chaidh am balla a leagail agus chaidh na rèilichean a chur air ais. Nuair a bha gu leòr stioma aige, mach gun tàinig e.

Abair staid le stùr is salchar.

"Ooh! Mo chnàmhan. 'S mi tha stiof."

"Mach leat agus lorg clàr-car, gus am fàs thu nas sùbailte," ars an Riaghladair Reamhar.

Nuair a thill e bha e a' faireachdainn mòran na b' fheàrr. Cheangail iad ris an trèana e.

"Peep, Peep," ars Eideard. "Tha mise deiseil."

"Tha 's mise," arsa Eanraig, "mach à seo sinn."

"Tarraing gu math. Nì sinn a'chùis! Seallaidh sinn dhan sgeamp ud," ars iadsan còmhla.

"Siud sinn. Bu sinn am paidhir. Wowee," arsa an dithis aca.

"Cò chreideadh e? Cò chreideadh e?" sheinn na coidsichean.

Fhuair a h-uile duine faothachadh. Chuir an Riaghladair Reamhar a cheann a-mach an uinneag a' smèideadh ri na h-einnseanan.

Ach bha an trèana a' dol cho luath 's gun do dh'fhalbh an ad dheth. Rinn gobhar leum air an ad agus bha i na bhroinn mus sealladh tu riut fhèin.

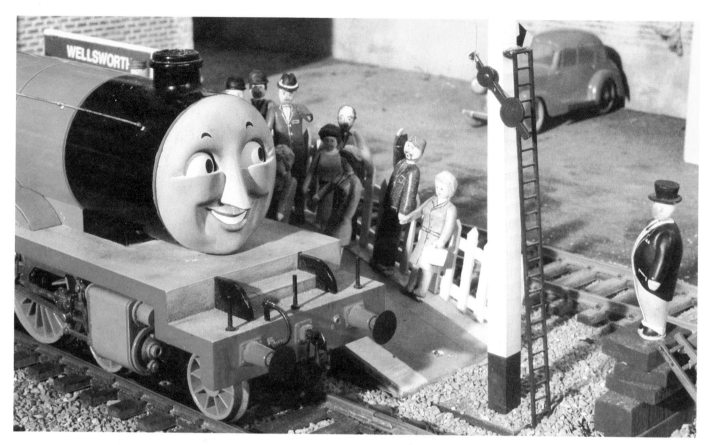

Chùm iad a' dol gus an do ràinig iad an stèisean aig ceann na loidhne. Thug a h-uile duine taing do na h-einnseanan. Gheall an Riaghladair Reamhar gum faigheadh Eanraig còta ùr peant. Air an t-slighe air ais, thug iad tobha do Ghòrdan chun an t-seada. Tha na h-einnseanan math air a bhith a' cuideachadh a chèile. Chan eil an t-uisge a' cur càil air Eanraig a-nis. Chan eil e airson cuimhneachadh air a' ghòraich a dh'fhàg na phrìosanach e. Tha fhios aige gum bi e ceart gu leòr ma chumas an dràibhear speisealt' e, fad na tìde.

Tòmas ag Iasgach

Nuair a bhios Tòmas a' puthadaich a-null a' mheur-loidhne aige fhèin, bidh fadachd air an còmhnaidh airson sealladh sònraichte. Bidh e an còmhnaidh a' dèanamh feum dha nuair a chì e an abhainn mhòr bhrèagha.

Nuair a bhiodh e a' turailich tarsainn na drochaid bhiodh e gu math tric a' faicinn dhaoine ag iasgach. Bhiodh e an còmhnaidh ag iarraidh stad gan coimhead, ach bhiodh an dràibhear ag ràdh, "Ist, amadain. Smaoinich fhèin air an t-sèist a bhiodh aig an Riaghladair Reamhair nam biodh sinn air dheireadh."

Ach a dh'aindeoin sin, bha miann aig Tòmas anail a leigeil aig an abhainn. Nuair a thachradh e ri einnsean eile chanadh e, "Bu chaomh leamsa dhol a dh'iasgach."

Chanadh iad, "Tha thusa glan às do rian. Cò riamh a chuala einnsean ag iasgach?"

"'S e cho fad air ais 's a tha cuid de dh'einnseanan!" chanadh e ris fhèin.

Aon latha, stad iad gu faigheadh e deoch aig an stèisean ri taobh na h-aibhne. Bha sanas an-àirde ag ràdh **"Briste"**. "Mì-shealbh," arsa Tòmas, "'s mi gus tiachdadh leis a' phathadh." "Chan eil an còrr air a shon ach uisge a thoirt às an abhainn," ars an dràibhear.

Fhuair iad peile agus ròp agus a-null leotha chun na drochaid. Bha Tòmas na èiginn ag iarraidh a shlugan a fhliuchadh. Leig an dràibhear am peile sìos dhan abhainn. Bha am peile aosd' agus gu math tolltach. Bha aca ri lìonadh, a tharraing suas agus a dhòrtadh dhan tanca cho luath 's a b' urrainn dhaibh. Chan eil fhios cia mheud triop a b' fheudar dhaibh a dhèanamh.

Nuair a bha iad deiseil thuirt Tòmas, "B' fheàirrde mi fhìn siud." Bha Annag agus Clàra Beileag a' trotail gu toilichte às a dhèidh. Ach nach ann a thòisich e a' faireachdainn pian na bhoilear. Cha robh e a' còrdadh ris mar a bha stioma a' spùtadh às a' bhalbh dìon aige.

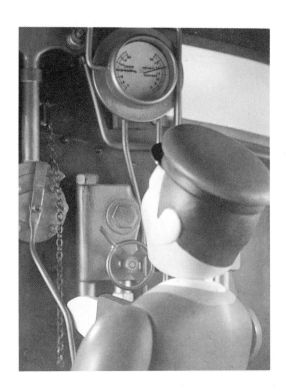

"Fada cus stioma an seo," ars an dràibhear.

"O mo chreubhag," arsa Tòmas. "Tha stròc a' tighinn orm. Tha mi gu spreadhadh."

Thaisg iad an teine, agus chùm iad a' dol.

"O mo chreach, am pian," arsa Tòmas. "Greim cridhe co-dhiù."

Stad iad air taobh a-muigh an stèisein. Thug iad dheth Annag agus Clàra Beileag, agus thug iad Tòmas gu taobh-rèile a-mach às an rathad. Bha srraon èiginneach aige fhathast, agus bha an aghaidh aige mar

balùn. Chuir an geàrd fios air sgrùdaiche einnseanan. Fhuair an dràibhear sanasan le litrichean mòra agus chroch e iad sin air Tòmas, air a bheulaibh agus air a chùlaibh. Bha iad ag ràdh, **CUNNART. NA TIG FAISG.**

Cha b′ fhada gus an tàinig an Sgrùdaiche agus an Riaghladair Reamhar.

"Thòmais, a bhròinein, na bi cho tùrsach," ars iadsan. "Bidh tu nas fheàrr a dh'aithghearr." Rinn an dràibhear inneas air dè thachair.

"'S iongantach mur eil pìob stopte," ars an Sgrùdaiche. "Bheir mi sùil dha na tancaichean." Shreap e suas, agus le sùilean caogach sheall e steach. Chrath e a cheann agus thàinig e a-nuas.

"Tha rudeigin fada ceàrr air an dà shùil agams′. Seallaibh fhèin."

Thòisich an Riaghladair Reamhar a' sporghail suas, sheall e steach, agus theab e tuiteam an comhair a chùil le uabhas.

"Gu sealladh nì math orm, tha *iasg* a' snàmh a-staigh an seo."

"'S iongantach mur do ghlac sinn anns a' pheile iad," ars an dràibhear.

"Uill, a Thòmais, dè thug ort a dhol a dh'iasgach? Gu dearbh fhèin chan eil e a' tighinn riut."

Ghabh gach duine turas mu seach ag iasgach ann an tanca Thòmais, fhad 's a bha an Riaghladair Reamhar na ghafair mar as àbhaist, ag innse dhaibh dè bu chòir dhaibh a bhith a' dèanamh.

Nuair a fhuair iad an t-iasg gu lèir, bha suipear de dh'iasg is tiops aca.

"'S fheàrr sgur na sgàineadh," ars an dràibhear.

"'S fheàrr sgàineadh na biadh math fhàgail," fhreagair an Riaghladair Reamhar 's e a' cagnadh gu math. "Ach tha mi an dòchas nach eil dùil agad a dhol a dh'iasgach a' chiad ghreis, a Thòmais."

"Gu dearbha fhèin chan eil," arsa Tòmas. "Fhuair mi blas a' chrogain air an-diugh fhèin."

Trucaichean Trioblaideach

Cha robh Seumas air sealladh dhen Riaghladair Reamhar fhaicinn airson làithean. Cha robh duine a' bruidhinn ris seach gun robh e air a bhith cho crosd'.

Cha robh e fiù 's a' faighinn cothrom coidsichean agus trucaichean a bhruthadh anns a' ghiàrd.

"'S ann rium tha tachairt," smaoinich e. "Chan fhaigh mi mach às an t-seada tha seo tuilleadh, brèagha 's mar a tha mi le mo chòta dearg.

"Mo nàire mhòr — a' dol cho luath 's gun tàinig toll ann am pìob nam breics. 'S mo mhasladh buileach gun deach a chàradh le barrall bròig. 'S mura bithinn air luidean a dhèanamh de dh'ad an fhir a bh' ann le stioma."

Mu dheireadh thall nochd an Riaghladair Reamhar.

"Tha thu a' gabhail an aithreachais a-nis, a bheil?" ars esan.

"Abair gun do rinn thu mo bheatha-sa duilich. Tha a h-uile duine a' dèanamh tàire air an rèile seo, agus tha sin trom air mo chridhe."

"Nam biodh fhios agaibh cho duilich 's a tha mi," arsa Seumas. "Cha dèan mi chaoidh tuilleadh e."

"Tha cho math teans eile a thoirt dhut," ars an Riaghladair Reamhar. "Dè mu dheidhinn trucaichean a tharraing dhomh?"

Bha Seumas air a dhòigh agus rinn e às.

"Seo do thrucaichean, a Sheumais," arsa Tòmas. "Dèan cinnteach gum bi barrallan deiseil agad." Agus ruith e air falbh, a' gàireachdainn.

"Seall cò tha seo," ars na trucaichean. "Seall an dath a th' air. Bha e air a dhearg nàrachadh an latha roimhe." Cha do leig Seumas air gun robh e gan cluinntinn, agus dh'fhalbh iad cho luath 's a bha an geàrd deiseil.

"Siuthadaibh a-nis, sgoinn oirbh," ars esan.

"Thalla 's cagainn bruis," dh'èigh na trucaichean. Cha robh seo a' cur càil air Seumas, agus dhan aindeoin tharraing e na bleigeardan rag a-mach às an stèisean.

Dh'fheuch iad an dìcheall toirt air stad, ach chùm e air. Bha uaireannan a dheigheadh na breics aca air. Uaireannan, dh'fhàsadh na h-aisealan aca ro theth, agus dh'fheumte stad. A h-uile turas, dh'fhalbhadh Seumas a-rithist. Bha e deimhinnte nach fhaigheadh iad làmh-an-uachdair air.

"Chan eil math dhut. Cha dèan thu càil dheth," sheinn iad ann an guth fanaideach.

"Nì mi, ma-tha. Seallaidh mise dhuibh," arsa Seumas is anail na uchd. Ach ruigidh each mall muileann — mura tèid càil ceàrr — agus chùm Seumas air ghan tarraing a-null an loidhne. Mu dheireadh chunnaic iad leathad Ghòrdain.

"Thoir an aire an seo, a Sheumais," thuirt an dràibhear. "Gabhaidh sinn luath e agus ruigidh sinn am mullach gun fhios dhaibh. Na leig leotha stad a chur ort."

Rinn Seumas dìreach sin agus cha b' fhada gus an robh iad letheach slighe.

"Chaidh Seumas dearg suas an cnoc a' slaodadh trèana dhuilich ..." thòisich e ag aithris nuair a dh'fhàs a' chùis uabhasach furasta.

"Bu mhi am balach," ars esan. "Cha do chuir e fiach smugaid a dhragh orm. Cho furasta ris an ABC." Ach thaisg an dràibhear an stioma.

"O, tuaireapadh!" ars esan. "Seall an t-earball saile a dh'fhàg sinn."

'S bha na trucaichean a bh' aig an deireadh nan starapan an comhair an cùil sìos an leathad. Bha an ceangal air briseadh. Stad an geàrd na trucaichean, 's b' fheudar dha tighinn a-mach airson rabhadh a thoirt do dh'einnseanan eile.

"'S mise a' smaoineachadh gun robh mi fhìn cho làidir," arsa Seumas, a' dol air ais air a shocair le na trucaichean eile. "Cha robh dùil a'm gun robh trucaichean buileach cho beag tùr. Dh'fhaodadh aimlisg a bhith air tachairt."

"An cuidich mi thu?" ars Eideard.
"Nì mi fhìn a' chùis," arsa Seumas.
"Sin thu fhèin, a bhalaich. Chan eil annta ach burraidhean gun tlachd."
"Math dha-rìribh," dh'èigh Eideard fhad 's a bha Seumas a' dèanamh a shlighe gu slaodach suas an leathad.
"'S ann riums' tha tachairt," arsa Seumas, "ach nì mi e. Fuiricheadh sibhse." Agus tharraing e an trèana le uile neart.

"Nach bu mhi an gaisgeach," ars esan nuair a ràinig e am mullach. Ràinig iad an stèisean gu sàbhailte. Bha Seumas a' gabhail fois nuair a nochd Eideard.

"Tha thu beò, ille," ars esan.

An uair sin nochd an Riaghladair Reamhar. "Chan eil an còrr bhuam. Tha seo thugam-s'," smaoinich e. Ach bha gàire air an Riaghladair Reamhar.

"Chunnaic mi a h-uile sian à trèana Eideard," ars esan. "Chùm thu na trucaichean as trioblaidich a th' againn fo smàig. Tha thu airidh air do chòta dearg ceart gu leòr."

Air a cheann dìreach dhan dìg

Bha Gòrdan na thàmh, agus bha e a' cleòcadh leis a' chadal. Bha e ag ràdh ris fhèin, "Tha e gu math sàraichte a bhith nas motha 's nas eireachdail na càch. Feumaidh tu bhith cho ceart gus am bi urram aca dhut."

Ach an uair sin chuala e feadalaich thoilichte Eanraig. "Abair slaodanach mòr odhar!" dh'èigh Eanraig.

"'S ann orts' tha 'n fhaochag!" fhreagair Gòrdan 's a nàdar ag èirigh. "Tha thìd' aig a' bhleigeard ud modh ionnsachadh. A' gabhail air a bhith a' fanaid ormsa mar siud! Ormsa! Aig nach robh tubaist a-riamh na mo bheatha."

"Dè mu dheidhinn feadagan steigte agus bhalbhaichean dìon a' spreadhadh?" dh'fhaighnich Pearsaidh air a shocair.

"Chan eil sin a' cunntadh. Trioblaidean beaga nach fhiach bruidhinn orra; chan ionann sin agus a dhol air do cheann dìreach far an rèile mar a rinn Eanraig. Tha e nàr! Dìreach maslach."

Nuair a bha Eanraig a' faighinn deiseil airson falbh leis an ecspreas, bha Gòrdan a' cumail sùil air.

"Feuch gun toir thu an aire nis. Cuimhnich nach e an Sgadan Sgèith a th' agad an-diugh. Feuch gun cùm thu air an reile an-diugh."

Bha brod na stùirc air Eanraig a' falbh, ach bha Gòrdan toilichte gun d'fhuair e air tàthag mhath a thoirt dha.

39

Cha b' fhada gus an tàinig fios air Gòrdan.

"Tha thìd' agad èirigh 's do lèine a chrathadh," ars an dràibhear. "Tha trèana mhòr a' tighinn agus tha againne ri tarraing."

"An e coidsichean no trucaichean a th' ann?"

"Trucaichean," ars an dràibhear.

"Trucaichean!" arsa Gòrdan.

"Dubh-ghràin orrasan!" Bha an teine fhèin gearaineach, 's cha robh e a' dol math idir. B' fheudar do dh'Eideard a thighinn ga bhruthadh chun a' chlàr-char gus am faigheadh e air tionndadh.

"Cha tèid mi idir ann. Cha tèid mo chas," bha Gòrdan a' brunndail.

Cha robh foighidinn sam bith aig Eideard dhan a' ghòraich seo. "Tha mhòr-chuis tha sin dol a dhèanamh dearg-amadan dhiot."

Fhuair Eideard air a chur air a' chlàr-car, bha a' ghluasad air lasair math a thoirt às an teine, agus bha gu leòr stioma aige.

Ach bha Gòrdan fhathast ann an triom a bha sgreataidh, agus bha dioghaltas air aire.

"Seallaidh mise dhaibh. Feumaidh iad urram a thoirt dhòmhsa," bha e a' brunndal.

Ghluais e pìos air fàth gus an toireadh e air a' chlàr steigeadh. Bha dùil aige stad nuair a thoilicheadh e e fhèin, ach cha b' urrainn dha, agus siud e air a cheann dìreach dhan dìg.

"Uùùùùh!" dh'èigh e. "Nach tog sibh mi! Tha seo cho mì-chàilear!"

"Ma tha, dragh," ars an dràibhear 's an stòcair. "'S math an airidh. Amadain gun tùr tha thu ann. 'S dòcha gun ionnsaich latha air an t-sitig rudeigin dhut."

Chuir iad fios chun an Riaghladair Reamhair.

"Tha sibh ag ràdh riumsa gun deach an t-ùmaidh mòr gorm ud dhan dìg a dh'aona ghnothach?" ars esan.

"Uill, feumaidh Eideard falbh leis an trèana. Fàgaibh Gòrdan far a bheil e. Chan fhiach e bodraigeadh ris an-dràsda. Chan eil ann ach dragh."

Bha peasain bheaga nan seasamh a' fanaid air Gòrdan."Gòrdan mòr gorm na dhearg amadan. Bidh e an seo gu bràth." Rinn iad rabhd bheag a sheinn iad.

Fàilte dhan t-sitig air trèana mhòr
   mhìorbhaileach
B' àbhaist bhith spaideil, ach
   a-nise tha iargalt'
Air a cheann dìreach an dìg
   tha cho sliamach,
Gun adhbhar air thalamh son
   mòr-chuis.

Dh'fhàg iad Gòrdan anns an dìg fad an latha 's e gearain."Obh, obh! Bidh mi nam stob meirg."

Ach an oidhche sin thàinig iad le
crèanaichean airson a thogail, agus rinn
iad slighe le trasnan fo na cuibhlichean
airson a chumail a-mach às a' pholl.

Cheangail iad ròpaichean làidir ris,
agus chaidh Seumas agus Eanraig
an sàs. Shlaod iad len uile neart agus
fhuair iad gu talamh tioram e. Cha
robh e furasta ach rinn iad a' chùis.

Liùg Gòrdan air ais dhan t-seada, an
dòchas nach tachradh duine ris. Bha e
air ithe leis an tàmailt, agus làn-fhios
aige gun tug e masladh ma chlaigeann
fhèin.

Bha Tòmas aig a' chrois rèile aon latha nuair a nochd Gòrdan le drèin air, 's e a' tarraing thrucaichean.

"Puth, fàileadh," arsa Tòmas. "Abair fàileadh grod. Lobht. A bheil sibhse ga fhaireachdainn, a chaileagan?"

"Feuch an ist thu. Chan eil na bloigh fàileadh," fhreagair Annag.

"Fàileadh grànda tùngaidh," arsa Tòmas.

"Mas tusa an aon duine tha ga fhaireachdainn, tha fhios gur ann dhiot fhèin a tha e," arsa Gòrdan gu caiseach.

Bha Gòrdan air a dhol air a cheann dìreach do dhìg o chionn ghoirid. Bha Tòmas an còmhnaidh a' tarraing a chois mu dheidhinn.

"Fàileadh bùrn dìge!" arsa Tòmas. Mar a thuirt Donnchadh Bàn ,

"Tha uisge Srath na Dìge
na shrùthladh dubh gun sìoladh
Le barraig uaine lìth-ghlais
Gu mì-bhlasda grànd."

Bha Gòrdan air a chur balbh,
a' cluinntinn cho fiosrach 's a bha Tòmas.
Dh'fhalbh Tòmas mus d'fhuair e anail
air ais.

Bha Annag is Clàra Beileag iad fhèin fo
uabhas. "Nach e tha fiosrach ... ach mì-
mhodhail leis. Smaoinich fhèin
a' bruidhinn ri Gòrdan mar siud."

Thòisich iad a' trod ri Tòmas.

"Tha thu air a dhol bhuaithe
buileach o chionn ghoirid. Tha thu gar
maslachadh gun sgur. A' leigeil an
teaghlaich sìos." Ach cha robh Tòmas
a' toirt feart orra.

"Uill, uill, nach mi thug dha an tè ud.
Tha mi cho geur! Bha sin anns na
daoine." Bha e a' lachanaich leis fhèin.

Ach chan fhaigheadh an dithis a bha
còmhla ris seachad air na thubhairt e.
Dh'fhàg Tòmas na coidsichean aig an
stèisean agus dh'fhalbh e gu mèinn a
dh'fhaighinn thrucaichean. Bha mèinn
luaidhe air a bhith ann o chionn fhada,
agus bha an t-uabhas thunailean fon
talamh. Bha mullach nan tunailean
làidir gu leòr airson trucaichean a
ghiùlain, ach Bha einnseanan fada ro
throm.

45

Bha sanas mòr ann ag iarraidh orra cumail air falbh.

CUNNART. CHAN FHAOD EINNSEANAN A DHOL SEACH SEO.

"Abair gòraich," smaoinich Tòmas. Bha e air feuchainn ri faighinn seachad air tric gu leòr, ach chaidh a chumail air ais. Ach bha plana aige an-diugh. Dh'fhalbh an stòcair a thionndadh nam puingean.

"Mach à seo sinn," smaoinich Tòmas. Thug e brag cho cruaidh air na trucaichean 's gun do leum an dràibhear bhon chlàr-coise, agus lean Tòmas na trucaichean a-steach dhan taobh-rèile.

"Mhic an uilc," dh'èigh an dràibhear.

"Dè an cunnart?" arsa Tòmas, san dol seachad.

"Gu sealladh sealbh orm," arsa Tòmas. "Tha mi dol fodha." Agus sìos leis air a cheann dìreach. "Tha seo thugam," ars esan ris fhèin, "nuair a chluinneas am fear reamhar."

"Chan eil mi cho reamhar ri sin," ars an Riaghladair Reamhar gu fiadhaich. "Ach dè 'n dol a-mach tha seo an-diugh?"

"Tha mi cho duilich," arsa Tòmas. "Nach toir sibh a-mach à seo mi. Tha eagal mo bheath' orm." "Huh," ars am fear eile. "'S math an airidh. Mura b' e trì bheagan dhòmhsa dh'fhàgainn a' snagadaich an seo thu gu madainn."

"Ach, uill, 's dòcha gun dèanadh Gòrdan a' chùis air do shlaodadh an-àird."

"Tha mi creidsinn," arsa Tòmas.

Cha robh dad a dh'iarraidh aige Gòrdan fhaicinn fhathast.

"Tha e ag iarraidh a bhith na mhèinnear a-nis, a bheil?" arsa Gòrdan a' gàireachdainn.

Thòisich e a' fanaid air Tòmas.

"An toiseach nad iasgair, a-nise nad mhèinnear. Tha mi 'n dòchas nach fheuch thu bhith na do phaidhleat!"

Cheangail iad càblaichean làidir eadar an dithis. Bha am fear a bh' ann na ghafair mar as àbhaist.

"Slaodaibh, a bhalachaibh!" Cha robh e idir cho furasta 's a bha dùil aca. Ach mu dheireadh fhuair iad an-àirde e.

"Chan eil thu cho aotrom 's a bha dùil agam," arsa Gòrdan.

"Tha mi duilich gun robh mi cho mì-mhodhail," arsa Tòmas.

"Chan e do mhì-mhodh a chuir an t-uabhas orms' ach a' bhàrdachd," arsa Gòrdan.

"Tha sinn air a bhith nar dà ghlaoic o chionn ghoirid," arsa Tòmas.

"Cha ghann sin," fhreagair Gòrdan.

Agus a' seinn le chèile dh'fhalbh iad dhachaigh.

"Soraidh leis a' mhèinn ud
Is leis an dìg cho grod —
Chaidh sinn air ar ceann dìreach
Is cha ghann nach d'fhuair sinn trod."

Tòmas agus Bertie

Bha Tòmas na stad aig crois-rèile nuair a nochd bus.

"Hullo," arsa Tòmas, "cò th' againn an-seo?"

"Mi fhìn, Bertie. 'S cò thusa?"

"Mise Tòmas. 'S mise tha ruith na meur-loidhne seo."

"O, seadh, Tòmas. Ach ciamar a dhìochuimhnich mi," arsa Bertie. "'S tusa chaidh fodha gu d' amhaich anns an t-sneachd. Thug mise leam an luchd-siubhail, agus b' fheudar dha Terence do shlaodadh a-mach. Tha mi a' dol ga do chuideachadh leis an luchd-siubhail an-diugh cuideachd."

"'S ann agads' tha 'm beachd ort fhèin," arsa Tòmas. "Cuideachadh! Huh! Chan eil thu a leth cho luath riumsa."

"Tha mi," arsa Bertie.

"Chan eil thu," arsa Tòmas.

"Dè mu dheidhinn rèis, ma-tha?" arsa Bertie.

Dh'aontaich na dràibhearan gum feuchadh iad rèis. Thuirt Maighstir an Stèisein,

"Dèanaibh deiseil ...

"Dèanaibh às."

Bhiodh Tòmas an còmhnaidh slaodach an toiseach, agus fhuair Bertie air thoiseach air.

"Bhiodh cho math dhuinn seilcheag. Rèis a th' ann, a shlaodaire," arsa Annag agus Clàra Beileag gu tàireil.

"Fuirichibh-se. Seallaidh mise dhuibh," arsa Tòmas, le cais air.

"Cha bheir sinn air Bertie gu sìorraidh," dh'èigh iadsan gu gearaineach.

Ach bha Tòmas coma. Bha fhios aigesan gun cuireadh an crasg-rèidh stad air Bertie. Bha Bertie a' dol na shradagan aig na geataichean nuair a ghabh iad seachad air mar a' ghaoth.

"Ta-tà, a laochain," dh'èigh Tòmas, thar a ghualainn.

As dèidh sin, bha an rathad 's an rèile pìos bho chèile, 's chan fhaiceadh iad Bertie.

Ach bha aca ri stad aig an stèisean a leigeil dhaoine dheth.

"An ainm sealbh, nach greas sibh oirbh," bha Tòmas a' feadalaich. Mu dheireadh, thàrr iad às a-rithist.

"Mar an dealanaich. Mar am peilear," ars e fhèin.

"Tha sinn gus a dhol às ar cnàmhan mar a tha," fhreagair an dà leadaidh a bh' air a chùlaibh. "Siuthadaibh, siuthadaibh," arsa Tòmas. Agus an uair sin thog e a shùil, agus chuala e dùdach Bertie a' sèideadh gu bragail.

"O, daingead airsan. Nach èisd sibh ris-san," ghearain Tòmas.

"Na toir feart air," ars an dràibhear. "Cuiridh sinne smùid às fhathast."

"Smùid an taigh-chofaidh à Bertie bragail," sheinn Annag agus Clàra Beileag.

"Nì sinn a' chùis air. Smùid às na h-itean aige," arsa Tòmas, le anail na uchd. "O, tuaireapadh, stèisean eile."

Agus bha Bertie ag èigheach, "Cheerie, a Thòmais. Tha thu gus leigeil roimhe, a bhròinein. Feumaidh mise tarraing. Tha cus agamsa ri dhèanamh."

"Dè math dhomh," smaoinich Tòmas. "Rinn e amadan dhiom."

Dh'òl e deoch agus b' fheàirrde e sin.

Thuit an soighne.

"Hurray. Mach à seo sinn. An teans' mu dheireadh."

Nuair a bha iad a' dol tarsainn na drochaid chual' iad "Bìob, bìobb" mhì-fhoighidneach. Cò bha sin ach Bertie, na stad aig na solais trabhaig. An uair a las an solas uaine, rinn e às aig peilear a bheatha às dèidh Thòmais. Ach bha Tòmas a-nis a' dol mar a' ghaoth. Rinn Bertie a dhìcheall, ach bha Tòmas fada ro luath.

Abair thusa feadalaich a' dol a-steach dhan tunail, agus fhios aige gun robh Bertie bochd gus adha a chur a-mach a' feuchainn ri breith air.

"Bu mhi am balach. Cò eile ach mi," ars esan, cho làn dheth fhèin.

"Sinne cuideachd. Bha ga do bhruthadh," fhreagair Annag agus Clàra Beileag, 's iad a' tighinn le fruis dhan stèisean.

Chaidh meal-an-naidheachd a chur air Tòmas, ach fhuair Bertie fàilte chridheil cuideachd.

"'S math a rinn thu, a Thòmais," arsa Bertie. "Chòrd siud rium, ach 's iongantach gun dèan mi a' chùis ort mura faigh mi paidhir sgiathan."

Tha iad ag obair còmhla gu math tric a-nis. Ged a bhios iad fhèin a' bruidhinn air an rèis, chan eil na daoine a bh' anns a' bhus airson a leithid a chluinntinn an dèidh mar a chaidh an crathadh às am piullagan an turas mu dheireadh!

Agus mhaoidh an Riaghladair Reamhar air Tòmas gun a dhol aig an astar chunnartach ud a chaoidh tuilleadh.

'S ged a dheagh chòrdadh rèis eile ris na seòid ud, chan eil mi fhìn a' smaoineachadh gun gabh iad orra e. Dè do bheachd fhèin?

Tòmas agus na Trucaichean

Dheigheadh Tòmas an t-Einnsean Tanca glan air do nearbha. Oidhche an dèidh oidhche bha e a' cumail chàich nan dùisg. "Tha mi sgìth a' bruthadh choidsichean. Tha thìd' agam an saoghal mòr fhaicinn."

Bha càch a' lùigeachdainn gun isteadh e.

Aon oidhche, thàinig Eideard chun an t-seada. Bha Eideard còir, agus bha truas aige ri Tòmas.

"Tha trucaichean agamsa rin toirt dhachaigh a-màireach. Faodaidh tusa an toirt leat, agus fuirichidh mise an-seo anns a' ghiàrd a' bruthadh choidsichean."

"Chòrdadh sin rium chun a' mharc," thuirt Tòmas.

An ath mhadainn, fhuair iad cead bho na dràibhearan agus dh'fhalbh Tòmas cho sona ri rìgh a lorg nan trucaichean.

Tha trucaichean uabhasach leanabail agus gràineil. Chan eil am beul a' dùnadh agus chan eil an aire air dè tha iad a' dèanamh. Ach chan e sin a-mhàin, bidh iad a' toirt a char à einnseanan nach eil eòlach air an cuid chleasan.

Bha Eideard gu math eòlach air trucaichean. Dh'iarr e air Tòmas a bhith faiceallach, ach bu cho math dha a bhith bruidhinn ri cnap taois. Chaidh Tòmas a cheangal ri na trucaichean, agus nuair a thàinig an soighne sìos bha Tòmas deiseil. Shèid an geàrd an fheadag.

"Peep, Peep," arsa Tòmas gu pròiseil agus a-mach leis.

Ach cha robh na trucaichean deiseil.

"Gu sealladh sealbh ort," dh'èigh iad. "Fuirich mionaid."

Ach an e e fhèin. Chan fhuiricheadh na bloigh.

"Nach siuthad sibh. Tha cabhag ormsa," ars esan.

"'S math nach eil thusa ris an obair seo tric," thàinig brunndal nan trucaichean.

Bha Tòmas a' dol na bu luaithe fad na tìde.

"Wheeeee," ars esan, a' dol tro tunail Eanraig.

Bha e làn dheth fhèin a' smaoineachadh gun robh smachd aige air na trucaichean. "Nach math a bhith a' gabhail splaoid air latha cho math," smaoinich e. "Na bithibh a' dabhdail," dh'èigh Tòmas. Bha e gu spreadhadh le pròis. Ach bha na trucaichean gu spreadhadh leis a' chais. B' fheudar do Thòmas a dhol slaodach nuair a ràinig e leathad Ghòrdain.

"Air do shocair a-nis," ars an dràibhear nuair a ràinig iad am mullach. Thòisich e a' cur air nam breics. "Tha sinn a' stad an-dràsda," dh'èigh Tòmas. "Sinn fhìn nach eil," fhreagair na trucaichean 's iad a' putadh a chèile. "Siuthadaibh a-nis," ars iadsan.

Mus do sheall an dràibhear ris fhèin, bha iad a' bruthadh Thòmais sìos an leathad 's iad a' glagadaich 's a' gàireachdainn. Bha Tòmas bochd na èiginn.

"Nach sguir sibh ga mo bhruthadh, a bhleigeardan gun chiall," ars esan.

Ach cha do leig iad orra gun cual' iad e.

Bha Tòmas a' dol fada ro luath, agus bha e a' tighinn eagalach faisg air an ath stèisean.

"O mo chreach. Tha m' fhuil air m' eanchainn. Dè nì mi?" dh'èigh e.

Chaidh iad tron an stèisean mar a chaidh am maor tro Gharrabost, agus robhlaig e a-steach dhan ghiàrd bathair.

Dhùin Tòmas a shùilean teann, ag ràdh, "Feumaidh mi stad."
An uair a dh'fhosgail e a shùilean bha e air stad dìreach aig na bufairean.

Bha an Riaghladair Reamhar an sin le sùil gheur air.

"Dè tha gad fhàgail an seo, a Thòmais?" dh'fhaighnich e.

"Thug mi trucaichean Eideird leam," ars esan, rudeigin gagach.

"'S dè a' chabhaig a bh' ort?"

"Iadsan bu choireach. Nach do bhrùth iad mi sìos an leathad."

"Sin trucaichean dhut. Fìor dhroch iseanan. Ma dh'obraicheas tu leotha an seo airson dhà no trì sheachdainean, cha mhòr nach bi thu cho eòlach ri Eideard. An uair sin, bidh tu nad Einnsean Fìor Fheumail."

Chaidh na sgeulachdan seo eadar-theangachadh dhan Ghàidhligan tòiseach
le Telebhisean na h-Alba airson na sreath *Tòmas Toiteach 's a Charaidean.*
Tha na foillsichearan a' toirt taing do Theilebhisean na h-Alba airson
cead na h-eadar-theangachaidhean seo a chleachdadh.

Chuidich Comhairle nan Leabhraichean am foillsichear le cosgaisean an leabhair seo